在庆祝中华人民共和国成立70周年大会上的讲话

（2019年10月1日）

习 近 平

人 民 出 版 社

在庆祝中华人民共和国成立70周年大会上的讲话

（2019年10月1日）

习　近　平

全国同胞们，

同志们，朋友们：

今天，我们隆重集会，庆祝中华人民共和国成立70周年。此时此刻，全国各族人民、海内外中华儿女，都怀着无比喜悦的心情，都为我们伟大的祖国感到自豪，都为我们伟大的祖国衷心祝福。

在这里，我代表党中央、全国人大、国务院、全国政协和中央军委，向一切为民族独立和人民解放、国家富强和人民幸福建立了不朽功勋的革命先辈和烈士们，表示深切的怀念！向全国各族人民和海内外爱国同胞，致以热烈的祝贺！向关心和支持中国发展的各国朋友，表示衷心的感谢！

70年前的今天，毛泽东同志在这里向世界庄严宣告了中华人民共和国的成立，中国人民从此站起来了。这一伟大事件，彻底改变了近代以后100多年中国积贫积弱、受人欺凌的悲惨命运，中华民族走上了实现伟大复兴的壮阔道路。

70年来，全国各族人民同心同德、艰苦奋斗，取得了令世界刮目相看的伟大成就。今天，社会主义中国巍然屹立在世界东方，没有任何力量能够撼动我们伟大祖国的地位，没有任何力量能够阻挡中国人民和中华民族的前进步伐。

同志们、朋友们！

前进征程上，我们要坚持中国共产党领导，坚持人民主体地位，坚持中国特色社会主义道路，全面贯彻执行党的基本理论、基本路线、基本方略，不断满足人民对美好生活的向往，不断创造新的历史伟业。

前进征程上，我们要坚持“和平统一、一国两制”的方针，保持香港、澳门长期繁荣稳定，推动海峡两岸关系和平发展，团结全体中华儿女，继续为实现祖国完全统一而奋斗。

前进征程上，我们要坚持和平发展道路，奉行互利共赢的开放战略，继续同世界各国人民一道推动共建人类命运共同体。

中国人民解放军和人民武装警察部队要永葆人民军队性质、宗旨、本色，坚决维护国家主权、安全、发展利益，坚决维护世界和平。

同志们、朋友们！

中国的昨天已经写在人类的史册上，中国的今天正在亿万人民手中创造，中国的明天必将更加美好。全党全军全国各族人民要更加紧密地团结起来，不忘初心，牢记使命，继续把我们的人民共和国巩固好、发展好，继续为实现“两个一百年”奋斗目标、实现中华民族伟大复兴的中国梦而努力奋斗！

伟大的中华人民共和国万岁！

伟大的中国共产党万岁！

伟大的中国人民万岁！

图书在版编目(CIP)数据

在庆祝中华人民共和国成立70周年大会上的讲话/习近平 著. —
北京:人民出版社,2019.10
ISBN 978-7-01-021405-4

Ⅰ.①在… Ⅱ.①习… Ⅲ.①习近平-讲话 ②中国共产党-方针政策-学习参考资料 ③社会主义建设成就-中国-学习参考资料
Ⅳ.①D2-0 ②D24 ③D619

中国版本图书馆CIP数据核字(2019)第215061号

(RMC-ZJDXI-078-20191001)

在庆祝中华人民共和国成立70周年大会上的讲话
ZAI QINGZHU ZHONGHUA RENMIN GONGHEGUO
CHENGLI 70 ZHOUNIAN DAHUI SHANG DE JIANGHUA

(2019年10月1日)

习 近 平

人民出版社 出版发行
(100706 北京市东城区隆福寺街99号)

北京新华印刷有限公司印刷 新华书店经销

2019年10月第1版 2019年10月北京第1次印刷
开本:880毫米×1230毫米 1/32 印张:0.25
字数:2千字

ISBN 978-7-01-021405-4 定价:1.50元

邮购地址 100706 北京市东城区隆福寺街99号
人民东方图书销售中心 电话 (010)65250042 65289539